Auf der Lauer liegt die Mauer

Copyright: Edition Versland 2019
Alle Rechte vorbehalten.
Herstellung und Verlag
BoD – Books on Demand, Norderstedt
Printed in Germany 2019
ISBN: 9783739235271
1. Auflage
EUR 14,00

Im Gedenken an

Günter Kunert,

der Mauern
zum Bröckeln
dachte

Hinweise zum Buch

Bei der Herstellung dieses Buches kamen keine echten Mauern zu Schaden.

Bei sachgemäßer Verwendung wird dieses Buch auch in Zukunft keine direkten Schäden an Mauern anrichten.

Für etwaige Mauern in Köpfen übernehmen wir keine Haftung.

Die Schmetterlinge auf dem Titelbild hat unser Grafiker gezeichnet. Echte lebende Tiere blieben von unserem Projekt verschont. Jedenfalls soweit es Verlag und Druck betrifft. Für den Umgang des Dichters mit Mücken und Flöhen können wir leider nicht garantieren. Die von ihm beschriebene Tiere habe er lediglich beobachtet, sie ansonsten jedoch ihren gemauerten Biotopen überlassen, sagt er. Wir hoffen das Beste.

Um auch sonst die Natur nicht über Gebühr zu strapazieren, entstand die Printausgabe dieses Buches im On-Demand-Verfahren: Dieses Exemplar wurde auf Bestellung gedruckt. Und auf zertifiziertem Papier. Sollte Ihnen ein Exemplar dieses Buches irgendwann in der Rabattbox ihres Discounters unter die Augen kommen, wären wir für eine Information dankbar. Um Rabatz machen zu können.

Die in diesem Buch versammelten stillen Worte stimmen einer Lautverlesung oder Versingung ausdrücklich zu. (Wir haben den Dichter einige davon tatsächlich vor sich hin summen hören.)

Unbedruckte Stellen stehen handschriftlicher Verschönerung und weiterführender, selbsterdachter Bereimung äußerst aufgeschlossen gegenüber.
Um Anteil nehmen zu können, werden wir uns über diesbezügliche Korrespondenzen und Bemusterung mit Beispielen unter:

lauermauer@mauerprojekt2019.de

mindestens wie Kleinkinder freuen.
Falls Sie all diese Hinweise für albern halten, haben Sie völlig recht. Wir schreiben sie trotzdem. Man weiß ja nie.

Ihre Edition Versland und das
Mauerprojekt2019.de

Editorial

Nichts ist so wie eine Mauer.

Eine Mauer steht dort, wo vorher noch keine stand. Insofern ist sie etwas Besonderes im Nichts, das sonst dort wäre, wo nun sie steht. Wer meint, das wäre nichts Besonderes, der irrt. Denn das Nichts, das sich vor der Mauer dort befand, entstand in unseren Tagen zumeist erst durch den Fall einer noch früher dort sich befunden habenden Mauer.

Mauern kommen und gehen.

Was bleibt sind die Beulen, die Mensch sich holt. Der eine, weil er mit dem Kopf hindurch und auf die andere Seite will, die er für die bessere hält. Die meisten Menschen aber, weil sie sich im Streit darum, welche Seite die bessere ist, nach jahrelangem Haareraufen gegenseitig die kahlgerupften Schädel einschlagen. Das ist kein schöner Anblick.

Manche Mauer erträgt ihn nicht und fällt aus Furcht oder Mitleid einfach in sich zusammen, bis nichts mehr übrigbleibt als ein Haufen Sand. In den steckt Mensch anschließend den Kopf und denkt über neue Mauern nach.

Das klingt jetzt alles ein wenig abstrakt. Doch so sind Mauerpläne immer. Was sie im Konkreten bewirken, ist nichts, worüber sich Mensch schon beim Ausklamüsern den Kopf zerbrechen würde. Denn das tut er hinterher sowieso.

Ebenfalls sowieso wird er der Mauer die Schuld geben, die doch gar nichts dafür kann, dass Menschens Vorhaben ständig ins Nichts führen. Wie gesagt: Nichts ist wie eine Mauer.

Dieses Buch hingegen ist keine Mauer.
Es hat viel mehr Seiten als nur ein Davor und ein Dahinter. Sie werden sich, hoffentlich, bei der Lektüre die Haare nicht raufen, sondern frohlocken.
Später dann könnte die Lektüre womöglich dazu führen, Ihnen die ein oder andere Beule zu ersparen, weil sie nun auf die Möglichkeit plötzlich auftauchender Mauern vorbereitet sind und sie umgehen können, statt sich daran ständig den Kopf zu zerbrechen.
Während ich das schreibe, bemerke ich, dass das Buch in diesem Falle für sie ein Davor und ein Dahinter entwickeln würde, was es einer Mauer doch wieder ähnlich macht.
Stets auf der Lauer liegt die Mauer.

Peter-Heimann-Schwarz
Edition Versland

Lob des Verlierens

Träumst Du noch vom Sieg?
Von Überlegenheit?
Wer Siege will, sucht Krieg.
Er findet Einsamkeit.

Verlierer spenden gemeinsam,
dem Sieger Mitleidsapplaus
und gehen, weit weniger einsam
als er, mit den Anderen nach Haus.

Ankunftsperspektive

Dann rissen wir die Tür auf, fanden
den Durchgang zugemauert. Und
in winzigen Lettern standen,
an die Wand gesprüht, knallbunt,

als wär es nie anders gewesen,
die großen Worte noch:
„Freiheit" und „Demokratie";
uns sehr vertraut, hatten wir sie
vor dem Türaufreißen doch
so oft sehnsuchtsvoll gelesen

durch das Schlüsselloch.

Lauermauer

Stets auf der Lauer
liegt die Mauer,
scheint nur vor sich hin zu dösen

wartet, lauscht, bis irgendwann
ein Politiker fragt: Kann
jemand die Probleme lösen?"

Irgendwer? Irgendwas?
Preis egal, Hauptsache, dass
es schnell geht. Und? Bewirbt wer sich?

Dann ist Mauer sofort wach,
springt auf und macht mächtig Krach:
Ich. Ich. Ich. Ich. Ich.

Zugverkehr und Autodröhnen
Friedhofsruhe, Zootierstöhnen
lässt sie elegant verschwinden,

sie kann Schulhöfe begrenzen
(wegen Drogendeals und Schwänzen)
Flüsse, die sich zu sehr winden,

macht sie für die Schiffe zahm.
Flüchtlingsströme legt sie lahm,
Israel und Palästina

befriedet eine High-Tech-Mauer.
Bloß: Mauer ist meist nicht von Dauer.
Auch die Steinmauern in China,

sind jetzt von Touristensohlen
bedrohter als einst von Mongolen.
Nicht mal die großen, alten dienen

noch ihrem Zweck. Die Mauern, könnte
man sagen, sind nur Fundamente
für künftige Ruinen.

Gedenken

Der Himmel flennt.
Ein lauer Schauer.
Äquivalent
für Dauertrauer
rauer, grauer
Mauerbauer.
Passend zum Event,

wo sie unbedingt
im Aneinanderlehnen
sich nach Tränen sehnen.
Doch keine Träne springt.

Ihr Versuch, das Gähnen
hinter Kunststoffzähnen
tapfer zu bezähmen -
auch er misslingt.

Am Schluss, als doch
ein schlauer Hall
von Trauerfall
durch weiße Mähnen,
in ihre Ohren kroch,
wähnen,
einige von denen
jenen Moment
sich endlos dehnen.

Renitent
und müde plingt
eine Glocke noch
gegen das Vergessen
Aber Wessen?

Lebenslied

Du hängst in
der Verankerung
zwischen Nirgends
und Vorort
Noch nicht alt
nicht mehr jung
Dein Leben ist
ein Katzensprung
zwischen Irgendwann
und Jetztsofort

Du wünschst Dir
dass was Neues kommt
und der Magen
schaukelt flau
dein Leben hängt
am Horizont
ein Käfer, der im Gras sich sonnt
nach Wolkenbruch
im Himmelblau

Du gehst,
wenn es entschieden ist
kann sein
es wird wunderschön
und dass Du doch
unzufrieden bist
dein Leben bleibt
ein Kompromiss

zwischen Nochnichtda
und Wiedergehn.

Du lebst
was man Dich leben lässt
ängstlich mutig,
schrill und still
Ein Überfluss
aus letztem Rest
von Gestern
hält das Heute fest
und nur der Tod
weiß, was er will.

Rückblick

Wie leicht wir waren
in jenen Tagen
damals, so leicht
zu leicht vielleicht?

Wie leicht wir waren,
als es leicht war
leicht zu sein,
inmitten des Leichtmuts
um uns herum.

Wie leicht wir waren
und wie leicht wir
im Leichtsinn vergaben
was uns zu leicht schien,
um es weiter zu tragen
als wir noch hofften,
uns werde dadurch
der Weg in das Morgen
leichter werden.

All dieses Leichte,
mit dem wir jetzt ringen,
mit dem wir uns
schwertun,
Schwersinn
schwätzend
Schwarten
schreiben

voll mit Fragen
nach der Leichtigkeit,
und ob sie jemals wiederkehrt...
woher sie kam,
wohin sie ging...

Wie leicht wir waren
in jenem Moment
als uns die Schwergewichte
wie Helden durch die Straßen trugen
und wir nicht merkten,
dass sie uns
längst auf die leichte
Schulter nahmen

Wie leicht es war,
so leicht zu sein
wie wir es damals waren

als Leichtsein
noch die Antwort war
auf viel zu viele
schwere Fragen.

Heldenregionen

Wenn man bedenkt
in welche Regionen
die Zahl
regional-
er Mauerhelden
wuchs und wucherte seitdem
wundert mich nicht selten
dass irgendwie am Tag danach
die Mauer, wenn auch offen,
überhaupt noch stand und nicht
komplett zusammenbrach
zu Schutt und Ruinen,
unter der Last und der Wut all derer,
die als erste auferstanden
und sie zum Einsturz brachten,
sofern man heute den Worten glaubt,
derer, die inzwischen sich
als Helden von einst verkaufen.

Helden, die sich nicht beugen
leben meist nicht lang genug,
um davon zu reden. Wer klug
ist, wählt die Rolle des Zeugen

und sonnt sich dabei ein ganz-
kleinwenig im Heldenglanz.

Übrigens

Sie öffneten die Mauer. Gut und schön:
Dass sie beinahe ganz verschwand,
das lag nicht mehr in der Hand,
der Millionen,

die heute von ihr nix mehr sehn.
Das Ende der Mauerwände
besiegelten kontokorrente
zig Millionen

mit Baulandhunger, gegen den
der Appetit der Mauerspechte
lächerlich erscheint. Und brächte
man Millionen

Steinchen, als wär nichts geschehn,
aus Hoteltouristenzimmern,
zurück, sie würde nicht erinnern
an Millionen

Ängste und Geräusche, das Geträn,
erstarrter Augen, Klatschen von Metall
in Fleisch und Wände. Tausend Mal?
Gar Millionen?

Erkenntnis kommt oft aus Versehen:
Erinnern liegt uns nicht. Erschießen
schon eher. Tausendmal in diesem
Mauerfall. Im Fall davor Millionen.

Geld

Geld hat niemand je genug.
Geld zu haben macht nicht klug
Auch wenn Geldhaber das glauben.
Geldverlieren macht viel klüger.
Geld zu zeigen macht Betrüger
gierig darauf, es zu rauben.

Geld ist wild drauf, zu gefallen
Geld vergleicht sich gern mit allen
Geld ist meistens Buntpapier
und noch öfter nicht real.
Geld ist manchmal digital.
Geld wohnt nicht so gern bei mir.

Geld will ganz besonders gelten
Geld vermehrt sich ziemlich selten
ehrlich und legal.
Geld ist Mittel zum Vergleich,
macht viele arm und manche reich.
Dem Geld ist das egal.

Geld ist Geld. Wird hergestellt,
gehegt, gefälscht, regiert die Welt
verdirbt charakterlich.
Selbst Märchenesel Bricklebrit
betrügt die Kinderwelt damit.
Denn echtes Geld, das kackt er nicht!

Kurzbesuch im Laugand

Irgendein anderer sagt es gewiss,
wenn nicht ich es heute dichte:
„Die Deutschen in der Weltgeschichte?
Ein Vogelschiss."

Das passiert, wenn ich Verse ausschwitz,
weil jener Herr mit der Dackelkrawatte
eine Vogelkacke-Attacke hatte,
Er verglich den Schiss mit Auschwitz.

Das war nicht ganz genau sein Vergleich.
Tatsächlich meinte der Satz des Banausen
auch Buchenwald, Dachau, Sachsenhausen
und was es noch gab im Dritten Reich.

Ich wollt ihn belehren. Was man so plappert,
während man stolz ist auf seinen Grips.
Da fiel mein Auge auf dessen Schlips.
Gott, war die Krawatte besabbert!

Da schwieg der eitle Dichternarziss
in mir und ich vergaß das Meckern:
Ältere Herren, die sich bekleckern
belehrt man nicht über Vogelschiss,

man fasst sie am Oberarm, aber sacht,
führt sie sehr sanft zurück in ihr Zimmer,
wünscht ihnen süße Träume, wie immer.
Dann Licht ausgemacht. Tür zu. Gute Nacht.

Schlips, Hemd, Hose und die Jacke
mit herausgedrehten Taschen
in die Maschine. Zweimal waschen!
Man weiß ja nie bei Vogelkacke.

Rettungsring?

Gefangen im Strom
der Information
sehnen wir uns
nach Wissen,

das mehr ist als
gegebenenfalls
zur Kenntnis
nehmen zu müssen,

was diese Daten
tatsächlich taten:
Sie fraßen sich fett
an unserer Zeit.

Je mehr wir ihnen
freiwillig dienen,
desto dünner wird
unsere Aufmerksamkeit,

sie zu verstehen,
sie zu umgehen,
wo sie uns nur
von Wissen entfernen.

Gefangen im Strom
aus Information
kann man ersaufen
oder schwimmen lernen.

Rückwärtslernen

Ein paar Jahre später
spürten die Menschen
der einen Seite der Mauer,
noch immer den Stolz,
sie gestürzt zu haben,
und wählten von denen
der anderen Mauerseite
die zu ihren Führern,
die den Neubau von Mauern
für alternativlos hielten.
Und das mit voller Absicht.

Nicht, weil sie die
für die besseren hielten
oder gar für eine Alternative
sie waren nicht blöd.
Sie hatten nur gelernt:

Niemand braucht Mauerstürzer,
wenn nirgends eine Mauer steht.

Und wenn sie etwas
noch mehr hassten
als eine Mauer, dann dies:
Nicht gebraucht zu werden.

Gewissheit

Tritt Gewissheit erstmal ein,
wird es sehr viel leichter sein,
uns entschieden, laut und gut
an Vorahnungen und Mut
zu erinnern, die wir Ignoranten
bisher an uns gar nicht kannten.

Gedanken

Die Gedanken sind frei.
Sie fliegen vorbei
und müssen dabei
überhaupt nicht klug sein.

Von frei bis klug
kann ein langer Flug,
voll mit Betrug
und Spuk sein.

In unseren Zeiten
liegen die Weiten
von 160 Duden-Seiten
zwischen „frei" und „Flug". Fein.

Prost

Ach, neues Jahr,
so frisch und unberührt,
gepriesen, hochgelobt
in deinen Windeln,
voll Hoffnung einer
Zukunft präsentiert:
Wir lieben Dich schon jetzt.
Und schwindeln.

Ach, neues Jahr,
so viele Jahre hockten
schon vor Dir hier bei uns.
Und wir verpflichten
dich, all den Mist, den wir
bisher verbockten,
irgendwie noch mal
grade zu richten.

Ach, neues Jahr,
geboren an den Rändern
des Alten, das wir
krachböllernd vertreiben:

Du sollst grundsätzlich
alles besserändern,
während wir… naja …
die „Alten" bleiben.

Ach, neues Jahr,
wir werden uns mal wieder
doch vornehmen,
viel vornehmer zu sein,
zufriedener mit der Welt
und Weltbefrieder.
Lasse Du Dich nur
nicht zu sehr auf uns ein,

denn eins ist jetzt schon
deutlich absehbar:
Auch dich werden wir
eines Tags erschießen
mit Leuchtraketenknall.
Ach, neues Jahr
versuche Du die Zeit
bis dahin zu genießen.

Albert Camus

Es ist nicht so leicht für die Erben,
an deinen Worten zu kleben
„Lieber aufrecht sterben,
als auf Knien zu leben"

Für einen Mann ohne Beine
ist beides keine Option;
kommt ein Zitat so alleine,
lohnt sich der Zweifel schon.

Großvaters Reim

Wo Macht lacht
beißt meist Weis-
heit ins Gras.
Und, kein Spaß:

Stets war Wahr-
heit sehr rar
in der Pracht
einer Macht

Nach-Bau

Hinterher war selbstverständlich
allen wie üblich vorher bekannt
gewesen oder es schwante
zumindest jedem der Alten:
Die Mauer konnte nicht halten.
Denn der Erbauer, als er sie plante,
ging mit dem Kopf durch die Wand.

Der Fall war somit unabwendlich.

Andererseits: Die Mauer stand
doch länger als mancher Vor-Alte ahnte.

Und wir bemerken endlich:

MANCHE können Mauern bauen
MANCHE machen Mauern platt
Doch ist JEDEM zu misstrauen
der sagt, dass er AHNUNG hat.

So siehts aus

Ein Traum,
der sich erfüllt,
macht die Welt
ein wenig ärmer.
Und sei es nur
um einen Traum,
die einzige Ressource,
mit der wir Menschen
diese Welt
bereichern können.

Malzeit

Der Müller und die Kinder malen
(er den Roggen, sie nach Zahlen).
Der Satz bringt Deutschlehrer zum Flennen!
Schon rufen sie:
„Es fehlt hier die
Orthografie!".

Ach: Lehrern, die
nicht glauben können,
dass auch Kinderzähne Roggen
mahlen und dabei noch zählen
oder Müller Farben wählen,
und sich vor die Leinwand hocken
wo sie dann in Arbeitskleidung
fröhlich einen Pinsel schwingen,
diesen Lehrern fehlt vor allen Dingen
nicht die rechte Schreibung
sondern schlicht und einfach die
Lehrerfantasie.

Veranstaltung am Tag der Inklusion

Verstummte Taube
Versteckte Blinde
Verstaute Versehrte
Verlorene Demente

Vertraute Redner
Verbindliche Blicke
Versorgte Blessuren
Verdutzte Geduzte

Versprechensvielfalt
Voraussichtlichkeiten
Veralltäglichungspläne
Verehrungsverbeugung

Verschwommene
Verständigungs-
versuche vermittels
Verversungs-Alliteration

verfangen verbal nur;
verlieren am Schluss der
Veranstaltung
verdächtig schnell sich im
Vorraum einer Wirklichkeit.

Wirklichkeit beginnt mit W.
W ist V mal zwei.
Wenn das mal reicht...

Winkekatzen
Wackeldackel
wissen nicht,
was Parkinson
wirklich mit uns tut.

PS:

Spielen Stühle
Rollenspiele,
sind Rollstühle
selten im Spiel

Stille Wasser

Dass stille Wasser tief sind, kann
ja stimmen. Doch der Ozean,
der brüllt und stürmt
und Wellen türmt
die hochhaushoch
ins Ferne winken,
dass sich jedes Schiff
drin überschlug,
auch dieses laute Wasser
ist noch tief genug,
um darin zu ertrinken.

Ausschlag ist gekommen

Gut auszuschlagen ist im Mai
für die Bäume Pflicht.
Machen alle mit dabei?
Maibaum schon mal nicht.

Auch Schlagbaum hält sich raus,
findet Grünzeug dumm.
Er schlägt zu doch niemals aus
Ansonsten liegt er rum.

Hinterm Haus, direkt im Hof
blüht mit größter Lust,
so ein Lindenbaum wie doof.
Deutsch und pflichtbewusst

schmeißt er Pollen durch die Gassen
und zu mir ins Haus.
Ich bat ihn, das zu unterlassen.
Auch diese Bitte schlug er aus.

Lob des Nichtbrückentags

Wie bitter: Brückentage
man kann sie kaum erwarten
will in seinen Garten
und dann das: Mückenplage.

Zwar kennt der Apotheker
da Mittel, denk ich vage.
Nur: der gönnt Brückentage
sich auch. Heute will jeder

sich irgendwie verdrücken, frag
doch nur mal die Dentisten
obwohl die gar nicht müssten.
Die haben ständig Brückentag

Das Auto steht vorm Brückenbau
Es geht einfach nicht weiter
Brückentag für Bauarbeiter.
Für den Fahrer Brückenstau.

Gymnastik für den Rücken?
Der Coach macht heute Pause.
„Üb' schön allein zu Hause
die Brücken und das Bücken!"

Das wird an Brückentagen
sich sicher nicht mehr ändern:
dass sie in den Kalendern
so große Lücken schlagen.

Wie ich das geraderücke?
Ich glaub, ich überbrücke
die Brückentagetücke
beim nächsten Mal in Brügge.

Und auch der noch

Nein, sprach Barbie, heute früh
zu ihrem Ken, nein, heute brüh
ich für Dich nicht den Kaffee.
Dahinten ist die Küche. Geh
mach`s Dir selbst, weil ich nicht mag
Wir haben schließlich Brüh-Ken-Tag.

Lecker!

Welch ein Genuss! Ich könnte sterben
für dieses Essen, damit und dabei.
Ich weiß ja, viele Köche verderben
im Sprichwort und in der Küche den Brei
Doch denke ich in diesem Falle:
Viele Köche… Zum Glück nicht alle!

Ach Freitag

Meistens ist mehr Tag als Frei.
Meist gibt Freitag sich, als sei
er aus ungeklärten Gründen
ganz voll Woche noch und könnte
niemals wieder Ruhe finden
oder gar ein Wochenende.

Wenn ich dann den Freitag frag:
„Wer hat Schuld?", sagt er: „Es lag
wiedermal am Donnerstag.
Der ließ tausend Sachen liegen.
Zu viele, um heut frei zu kriegen!"

Den Samstag aber mag er gern,
obwohl der am Horizont
faul nur rumhängt, winkt von fern,
und kein Stück entgegenkommt.

Ist das logisch? Den zu tadeln
der was tat, wenn auch vielleicht
nicht genug, dass es dann reicht
und den, der nichts tut, noch zu adeln?

Freitag hat nicht nachgedacht.
Mag sein, dass es am Namen liegt.
Wer weiß, was das mit einem macht,
wenn man FREI heißt und nie ...kriegt?

Er weiß es nicht. Er lamentiert,
vom ganz konkreten Allgemeinen,
das ausgerechnet ihm passiert,
bis irgendwann die Stechuhr „viert".
Dann geht er heim. Mit sich im Reinen.

Alles Mai

Mai ist, wenn die Meise singt.
Mai ist, wenn der Maibock springt.
Mai ist, wenn das Mädchenkleid
wieder kurz wird. Mai trägt Röckchen;
und wenn Röckchen hoch und weit
schwingen über weißen Söckchen,
fühlt Herr Maier mit der Zeit
auch den Mai in seinen Glöckchen.

Mai ist wenn der weiße Flieder
an Herrn Maiers Anzug blüht.
Mai ist, wenn`s ihm an Gemüt
und Geläute seltsam zieht,
wieder, wieder, wieder, wieder.
(Was dann aber nur im Geist
des Herrn Maier noch geschieht.
Jedenfalls zumeist.)

Er ist schon alt. Mai kennt er in
und auswendig und außerdem:
Er kennt auch seine Maierin!
Im Mai nach fremden Röcken gehen?
Da schlügen wohl bei ihm zu Haus
mehr als nur die Bäume aus.
Die Maierin würd ihn beschmeißen
mit dem Porzellan. Aus Meißen!

„Das mit dem Mai ist so ne Sache",
denkt Maier beim Nachhausegehn:
„Komm, lieber Mai und mache
mir meine Alte wieder schön."
„Ach lieber Mai, mach dass er kommt,"
summt die Maierin dabei …
Mancher Wunsch erfüllt sich prompt.
Alles neu, macht der Mai.

Alter Dichter

Je älter der Dichter, desto dicker das Buch.
Wo in all den Seiten stecken
Glanz, Esprit, Humor, Ekstase?
Er schreibt, als wäre er verpflichtet.

Handlung? Tröpfelt vor sich hin. Such
nicht nach ihr, sie macht nur Flecken.
Vielleicht liegt es an seiner Blase,
dass der Dichter nicht mehr dichtet.

Ach G

... du altes Luder!
Warum war Abel
statt Kains Bruder
nicht seine G-abel?

Es hätte unserer Art
allerhand erspart

Ansprache

Die Jahreszeiten anzusprechen
ist im Grunde nicht so schwer
Um das Schweigeeis zu brechen
sagt man einfach: So, Sommer

(die Falschbetonung für den Reim
war hier geplant und soll so sein)
Auch: He, Herbst, ist sehr beliebt,
wenn Nebel dir die Augen trübt.

Und: Wie, Winter: War`s das schon
mit Frost und Schnee und Eis?
Stets hilft die Alliteration.
Allerdings: Wer weiß

wie man den Frühling anspricht schon?
Hi Mai? Oder: Ah, April?
Das trifft den Monat, nicht die Saison.
Hier schweigt die Weisheit still.

Passende Wort findest auch DU nie
Gottseidank kommt bald der Juni.

Armeeakademie

An der Uni formierten
die Uninformierten
sich zum Bataillon
der Uniformierten

Und hielten sich nun für
Unikate?

12. Dezember

„Heute", sprach ein Weihnachtself,
„hau ich aber dem Advent
so richtig einen auf die Zwölf,
mit Punsch und Wein. Was man so kennt!"

Es klang ein bisschen übermütig.
Ich glaube, ich kann ihn verstehen:
Die ganze Zeit nur fleißig, gütig,
weihnachtlich: Wie soll das gehen?

Jeder hat doch mehr Facetten
als nur die im Repertoire:
Eile, Trauer, Weltenretten…
Ach: Albernheit ist wunderbar.

Zur Halbzeit des Advent lässt heute
ein Elf die Sauen raus, dreht frei,
trinkt und lacht, schockiert die Leute.
Ich wünsche ihm viel Spaß dabei!

Facebookbilder

Die Katzen sehen so niedlich aus,
allerliebst und wunderbar.
Das ist bekannt und gar nicht wahr
(wenigstens für eine Maus).

Im Zoo

Museum sterbender Arten
Zombies hinter Glas.
Gezähmt, mit Eintrittskarten
nehmen Menschen Maß

für die Krone der Evolution,
kühlen Eisbären den Pool,
tigern dschungelschaudernd cool
durch Sprühventilation

zu Kunstkorallenriffen.
Haifischzähne blinken
bunte Vögel winken
Ein Nashorn sieht ergriffen

sie für Schimpansen tanzen,
für Löwen Nahrung töten
für Elefanten tröten.
Sie sind im Großen, Ganzen

im Einklang mit sich und der Welt,
die sie sich im vertrauten,
zuvor ent-tierten Umfeld bauten.
Für das inves-tierte Geld

scheint es fast, erwarten
sie nun Dankbarkeit und Spaß.
Zombies hinter Glas
im Museum sterbender Arten.

Geschenk

Einen Wald will ich Dir dichten,
voll mit Bäumen aller Arten:
Tannen, Kiefern, Lärchen, Fichten,
Birken, die auf Tänzer warten,

Eichen, um dich abzustützen,
Linden zum darunter Lesen,
Buchen, die vor Blitzen schützen
Eucalyptus zum Genesen,

Hasel, voll mit braunen Nüssen,
Kirschen, weil sie Dir so schmecken,
Misteln zum darunter Küssen,
Weiden, sich drin zu verstecken

Rosskastanien und Erlen
und Akazien, Mirabellen.
Eiben, voll mit roten Perlen,
Einen Wald, sich vorzustellen,

diesen Wald will ich Dir schenken,
Ist es auch im Kopf nur einer:
Weil: sich einen Wald zu denken
ist schon viel mehr Wald als keiner.

Halbzeit Drei

Ich will noch ne Halbzeit,
ne dritte vielleicht.
Ich weiß, dass das
mathematisch nicht geht.
Und will sie trotzdem
bis es mir reicht,
bis sich der Motor
im Kopf nicht mehr dreht,
bis dieser Hammer,
der Bilder zertrümmert
in meinem Hirn
einen Bungalow zimmert
mit Nägeln an Wänden,
woran sich der Rest
Erinnerungen
neu aufhängen lässt.

Ich will noch ne Halbzeit,
die Regeln natürlich,
verbieten das.
Jeder Mensch muss verlieren.
Ich will noch ne Halbzeit!
Noch eine, nur für mich,
den Unsinn von
„So ist die Welt" ignorieren.

Ein Leben lang
sagten sie mir, hab nur Mut,
am Ende wird,
was auch passiert, Alles gut.
Jetzt sagt Ihr mir,
dass ich aufhören muss
und gar nichts ist gut.
Nein, hier ist nicht Schluss!

Ich will noch ne Halbzeit,
da muss noch was gehen
ich habe doch
so viel zu verbessern,
für noch eine Halbzeit.
Das müsst ihr verstehen
Die Erde verreckt,
die Gletscher verwässern,
und irgendwo liegt
sicher ein Welterhaltungssatz
Ich will noch ne Halbzeit.
Da ist noch was drin.

Warum ist es plötzlich
so still auf dem Platz
und wo sind jetzt
all die Zuschauer hin

Dank an den Kollegen Keiner!

Keiner hat das Kommen sehen.
Keiner hatte das gedacht
Keiner kann sowas verstehen
Keiner hat da was gemacht

Und jetzt? Jetzt ist keiner hier
Keiner hat Schuld, so sieht`s aus.
Keiner hätte solln, dafür
fliegt doch Keiner raus

Oder doch? Nicht? Immerhin:
Keiner hat mich unterstützt
Keiner steckt im Thema drin,
Ach, ich glaube, Keiner nützt

unserm Team so sehr wie er.
Keiner wird hier noch was reißen!
Nichts ist ihm zu dumm, zu schwer!
Keiner wird es uns beweisen:

Keiner, Keiner, Keiner, Keiner,
Leute: Keiner ist schon einer!
Was immer uns das Leben tut:
Keiner rettet uns. Habt Mut!

Zeitgeist oder so

Der Kuckuck saß in seiner Uhr
lauschte geduldig vor sich hin,
wie stur der große Zeiger fuhr
und rhythmisch tickte, ohne Sinn.
Tick-Tick. Tick-Tick. Pausenlos.
Das ständige Geticke führt
bei ihm zu Nervenkribbeln bloß.
Und Nein: Er ist nicht amüsiert.

Er hockt nach alter Tradition
in seinem Federanorak
und wartet auf die Erruption
die kommen wird. Beim nächsten Tack!
Dann bricht ES aus ihm heraus
und ER wütend durch die Tür:
„Gibt es denn in diesem Haus
keine Ruhe mehr für mir?"

(Dass die Grammatik in Erregung
verrutschte, scheint mir nachvollziehbar,
zumal der Kuckuck in Bewegung
und Deutsch ja seine Sprache nie war)
„Du tickst doch nicht ganz richtig.
Du gehst mir restlos auf den Zeiger,
Schluss damit. So geht das nicht, ich
hole gleich die Polizei her!

Vertick Dich endlich!" ruft er dann laut.
Der Mensch, der aus der Ferne zuguckt
und es sich belustigt anschaut,
hört was ganz andres. Nämlich: „Kuckuck"

Er gönnt dem Vogel die Entfaltung,
hört nicht mehr auf zu hörn. Genießen
will er diese Unterhaltung
„Kuckuck, Kuckuck" Ach, zum Schießen!

Und regelmäßig drängt es ihn,
sich mit ins Uhrenspiel zu werfen,
die Uhrenwerke aufzuziehn,
die dann den Kuckuck ewig nerven.

Moral
Mensch taugt nicht zum Streitverschoner.
Nicht mal dann, wenn er`s versucht.
Vermutlich, weil ein Uhreinwohner
meist in fremder Sprache flucht.
Der Mensch stützt die Diktatur
der Tick-Tack-Uhr.

Laufen

So ist der Gang des Lebens: Man
fängt ziemlich viele Dinge an
und hört im weiteren Verlauf
mit den meisten wieder auf.

Weil der Handstandüberschlag
einfach nicht gelingen mag
oder man, wenn man jongliert
die rohen Eier stets verliert

Oder es fehlt einfach Zeit,
man wird zu groß, zu alt. Zu breit.
Oder, ja auch das passiert,
weil man schlicht die Lust verliert.

Bei jedem Aufhören hoffen wir,
wir fangen noch was Neues an.
bis dann doch mal irgendwann
jemand uns verdeutlicht: Hier
ist Schluss. Gutnacht. Das war es dann.

Wer das jedoch mit dem Gefühl
von einem Jubellauf durchs Ziel
verbindet und mit Siegerpose,
hat mehr Spaß, als der mit Arthrose.

Loblied auf den blauen Eimer

Manchmal, wenn wir zu sehr feiern
(bis zum Abwinken, genau!),
ist etwas später, wenn wir reihern
davon auch der Eimer blau.

Das ist so normal, dass keiner
sich daran stört. Einerlei.
Besser: „Alles ist im Eimer!",
als: „Ach, alles geht vorbei."

Es wird schon wieder. Keine Fragen,
(weil es das doch immer tut!).
Bei Dir, würde die Oma sagen,
wird bis zur Hochzeit alles gut.

Spürten allerdings nur Viren,
Salmonellen Partyschwung.
dann: Hinterher desinfizieren!
Und Dir: Gute Besserung.

Morgenhaut

Manchmal, wenn der Tag schon laut ist,
zieht dein Atem noch in stillen
Zügen ruhig durch die Nacht,
hinterm Dunkel Deiner Lider

Und wie zart dann Deine Haut ist!
Unberührt von einem Willen,
der sie Dir zum Panzer macht,
Tag für Tag. Und immer wieder.

Schutzlos, furchtlos jetzt, viel stärker
als in dünnhäutigen Stunden,
die durch Lichtmetamorphose
zum Kokon sie umgestalten,

hart von Narben, blaß vom Ärger,
rau von Pusteln, scharf von Wunden.
Morgenhaut tut nichts, als lose
Dich in Deiner Form zu halten

für den Krieg, der dich erbeuten
wird, wenn Tag erst angegraut ist,
grimmig und brutal und hässlich,
hinterlistig und gemein.

Bleib dabei, dich nachts zu häuten!
Wenn da keine Morgenhaut ist
schützt dich gar nichts mehr verlässlich
davor, selbst der Krieg zu sein.

Oktoberbäume

Da steht ihr wieder. Strahlt und stiert
die Welt an, die Euch brav bestaunt.
Braun, gelb, rot uniformiert.
Ein Wind wiegt Euch gutgelaunt

in selbstgewisser Eitelkeit,
eigener Schönheit. Und ihr lauscht.
wobei ihr ihm von Zeit zu Zeit
durchaus ein wenig Beifall rauscht.

Nur: Der Wind ist schrecklich windig.
Sein Preisen fordert seinen Preis.
Buntes liebt er ganz bestimmt nicht.
Das macht er Euch zwar weis,

doch er will Euch in die Krone.
Ihr fallt auf ihn rein. Und zackig
packt er zu. Er macht ganz ohne
Gnade alle Bäume nackig.

Naja, das ist der Gang der Welt.
Ein Baum wird alt. Und klug? Oh Nein!
Er fällt, solange bis er fällt,
auf windiges Gesäusel rein.

Ostergruß

Zu Ostern sei der Himmel blau
Zu Ostern sei der Ostwind lau
Zu Ostern sollen alle wissen:
Osterglocken sind Narzissen.

Zu Ostern sollen im Birkengrün
buntbemalt die Eier blühn.
Die Kirche sei nach altem Brauch
zu Ostern voll. Der Papa auch.

Das Osterbrot sei weich und süß
Ach: Ostern sei so Paradies,
dass kein Terrorist der Welt
ein anderes für „bombig" hält.

Zu Ostern sei die kurze Nacht
der Zeitumstellung leichtgemacht
hell vom Osterfeuerscheinen
auf dem Anger, nicht auf Heimen.

Zu Ostern sei der Tisch verziert
der olle Goethe sei zitiert
im Stadtpark auf der Sonnenbank.
„Frohe Ostern". „Vielen Dank!"

Bogen

Eben noch war er
ein stolzer Bogen.
Jetzt ist er nur
noch glatte Gerade.

Jemand hat
ihn dazu verbogen
Wann? Natürlich
eben gerade.

Pf

Zwei Pe-eff schwangen einst hastig
tief im Wald von Ast zu Ast sich,

hoch und höher, wollten fliegen.
Ein Ast brach. Sie stürzten, blieben
ganz zerstört am Boden liegen.
Hätte sie nicht Hast getrieben
sondern nur profane Eile
wären die zwei Pf jetzt Pfeile
und sie könnten richtig fliegen.

Getrieben aber von der Hast?
Nur Pfhast. Nur Pfhast.

Regenreh

Ein Reh im Regen fragte sich:
Wo steckt die Sonne eigentlich?

Sinnierend zupfte es im Gras
an Halm und Moos. Es fraß und fraß

im Ganzen sieben lange Stunden
und hat die Sonne nicht gefunden.

Hörst Du mal im Regen ein Regen
im Unterholz, wird dort ein Reh gehn

und nach der Sonne sich sehnen.
Das liegt ihm wohl in den Reh-Genen.

Septembersommer

„Wir kriegen heute Sonne satt"
erzählt die Radio-Wetterfrau.
Ich sitze da und denk: Genau!
Heut kriegt sie satt, wer`s noch nicht hat.

Das Licht lädt ein, sich umzugucken:
Wo bleibt der Herbst? Das Thermometer
träumt vom Sommer noch. Erst später
bei Nacht, wird es zusammenzucken,

verstört, wenn wir, nach Festzeltbieren
durch Laternenstraßen fluchen,
und nicht finden, was wir suchen:
Den Text, um Rilke zu zitieren!

Den hatten wir im Kopf einst, wenn die
Sehnsucht kam bei drei Promille.
Inzwischen herrscht im Schädel Stille.
Den Text beherrscht das Handy.

„Wer jetzt kein Haus hat,
baut sich keines mehr.
Wer jetzt noch einsam ist,
der wird es lange bleiben"

Auch wir bauten, irgendwie
uns in diesem Jahr kein Haus.
Die Ausreden gehen uns längst aus.
Komm Herbst, sei unser Alibi,

lass die Sonne jetzt verschwinden!
Selbst die Wetterdame hat
das ewige Gestrahle satt.
(Wohl aus beruflichen Gründen.)

Traumhaft

Der falsche Traum kann ein
sicheres Gefängnis sein:
Er hält uns von Realität
fern. Wir merken viel zu spät,
dass wir, statt zu träumen,
von Freiheit und Räumen,
Entdecken und Schweben,
mit traumhaften Dingen
unser richtiges Leben
in Traumhaft verbringen.

Taschenpacken

Ist wiedermal Zeit,
mein Bündel zu schnüren,
zu schau'n, ob ein anderes
Leben mir passt.

ist wiedermal Zeit
Mich aus zu probieren,
saß lange genug
in Alltags-Hast-Rast..,

Ist wiedermal Zeit
den Sturm zu riskieren
statt ewig nur Stadtstaub
am Straßenbahnstand

Ist wiedermal Zeit
auf Wellen zu stieren
auf Muscheln und Tang
und endlosen Strand

Ist wiedermal Zeit
am Meer mich zu messen
die Wellen zu brechen,
mich zu justieren.

Ist wieder mal Zeit:
Schon beinah vergessen
hat das mein Herz. Es
will schlagen, pulsieren.

Ist wiedermal Zeit
die Stille zu wagen
im Möwenkreischen
nen Reim zu notieren

Ist wiedermal Zeit
nach zu vielen Tagen
verschwitzt in der Gasse,
im Nordwind zu frieren.

Lob der Dummheit

Die Dummheit, sagt man, sei gefährlich
fiese Viren, die grassieren:
Und doch glaubt jeder, sein wir ehrlich
Sie könnten ihn nie infizieren.

Man kann nicht gegen Dummheit impfen.
Niemanden. Da hilft kein Fluchen,
Stampfen, Schlagen, Schreien, Schimpfen:
Wo wir laut nach Mitteln suchen,

mit unseren Intelligenzen,
bildet sie in stiller Stummheit
starke Multiresistenzen
gegen Bildung. Respekt, Dummheit!

Die Klugheit sucht nach Tiefe
Dummheit schwimmt stets oben.
Wenn ich je Kluges riefe
dann: Lasst uns Dummheit loben!

Wer sich in sein Schicksal schickt
als Dummer, weiß, dass er gut fickt
ausgiebig, lang, stets bereit
Dummheit schafft ja freie Zeit;

den Streit, den er vom Zaune brach,
gewinnt der Dumme: Klug gibt nach.
Und bleibt am Schluss das Publikum
nach all den dummen Reimen stumm,

sagt Dumm sich, voll Bescheidenheit:
„Sie waren wohl noch nicht bereit
in dem, was sie die Dummheit nennen
das wahrhaft Kluge zu erkennen.

An der Denkwand

Die Stirn an die Mauer pressen,
bis Putz in die Gedanken sticht,
in uns dringt, wie ein Gewissen,
das alles von uns will und weiß.

Teil des Ganzen sind wir. Wessen
Trauer ist das eigentlich,
die uns infiziert? Was wissen
wir von ihr, wenn wir uns leis

ergeben ihren Interessen?
Zwischen Schuld und War-ich-nicht,
zwischen gern Hierbleibenmüssen
und sich aus dem Kalk-Staub machen,

siegt in diesem Kräftemessen
mit der Wand gelegentlich
die Tränendrüse. Oder Küssen.
Doch sehr selten nur das Lachen.

Himmelnochmal September!

Die Sonne blinzelt,
längst vom Sommer müde.
Noch gibt sie kleinen
Himmeln blauen Schwung.
Es ist nur Schein.
Ein Nachspiel. Eine Lüge
Altweibersommerfäden
und Erinnerung.

Die Wolken sind längst reif.
Sie wollen fallen
Noch hält der Himmel
tapfer Tropfen fest
Es gelingt ihm
schon nicht mehr mit allen
und die, die er
durchs Raster gleiten lässt,

sieht man auf
ährenlose Felder regnen.
Noch sprühen sie sanft.
Könnte man denken.
Als wollte sie der Himmel
sprenkelnd segnen,
obwohl er weiß:
Er wird sie bald ertränken.

Himmelnochmal, September,
lass das Gaukeln
heute noch nicht sein.
Los: Belüg uns richtig.
Gib alles was Du hast,
uns zu verschaukeln.
Es wird bald Herbst.
Das ist jetzt noch nicht wichtig.

Irgendwiewowannlch

Ach, das Leben wär leichter,
wenn die Welt nett wär.
Der Mensch wäre so viel
zufriedener, hätt er
das, was er braucht und
nicht nur, was er soll
und sein halbleeres Glas
wär mal wirklich halb voll.

Du wünscht Dir, Du hättest
jetzt endlich mal
einen Sechser im Lotto,
mit Superzahl
ne Kirche, die wirklich nie
Kinder missbraucht,
einen Fernsehabend
komplett ohne Jauch

Und irgendwie
steht die Welt grad in Flammen
Und irgendwo
hängt das alles zusammen
Und irgendwann
liegen wir in den Betten
Und fragen uns:
Kann das irgendwer retten?

Du willst in den Urlaub
doch da ist grad Krieg
Du willst diese Frau
doch sie hat Dich nicht lieb
sie ist schlank, sie ist blond
Du willst sie im Bett
doch was neben Dir liegt
ist ganz furchtbar brünett.

Du selbst wärst gern schlank.
Doch Dein Bauch steht weit vor,
Du willst schön volles Haar.
Doch das wächst nur im Ohr
Du willst weniger furzen
und weniger schwitzen
nie mehr Mundgeruch,
dafür Dritte, die sitzen

Und irgendwo
steht die Welt noch in Flammen
und irgendwann
hängt das alles zusammen
und irgendwie
liegen wir in den Betten
und fragen besorgt:
Kann das irgendwer retten?

Ein Auto, das die
Umwelt schont, wär okay.
Vorerst jedoch
fährst Du weiter VW
Du ahnst, dass AfD
Dir nicht viel bringt
und Du wählst sie trotzdem,
weil das Leben Dir stinkt

Krieg und Terror sind schlimm,
Du willst lieber Frieden
schlimmer als das sind
nur die Hämorrhoiden
die immer im falschen
Augenblick jucken,
wenn Du Dich nicht kratzen kannst,
weil alle gucken

Und irgendwann
steht die Welt voll in Flammen
Und irgendwie
hängt das alles zusammen
Und irgendwo
liegen wir in den Betten
Und fragen ängstlich:
Wer soll das retten?

Bayern .... s   Berge
sind schön.
Bayern München gefährdet.
den Fußball, korrupt
völlig überbewertet.
Doch eine Frage
drückt Dich am meisten:
Wie können Ausländer
sich Deutschland leisten?

Was wollen die hier,
wo wir uns schon quälen, man
und warum so viele,
dass keiner sie zählen kann?
Wollen die meinen Job
bei Häckler und Koch?
Oder wirklich nur Frieden?
Jetzt regnet' s auch noch!

Und irgendwie
geht die Welt vor die Hunde
Und irgendwo
schlägt uns die letzte Stunde
Und irgendwann
nachts im Bett schüttelt es Dich:
Wer all das zusammenhält:
Das bin ja ich.

Alternativen

Im Schatten des Problemes schliefen
unberührt, verträumt und blass,
lächelnd sechs Alternativen
makellos und still im Gras.

Ein Volk am Rand des Rasenbetts
bestaunte sie mit „Oh" und „Ah",
schoss Bilder, teilte sie im Netz.
Sie merkten nichts. Sie schliefen ja.

Noch, als erste Kunstbanausen
mit den Handy- Apps begannen,
die Mädchenhaare zu zerzausen,
die nackten Körper zu „bemannen",

ihr Lächeln lüstern zu verhuren
in Geilheit, die sich Böcke fing.
Pornospaß statt Schattenspuren
vom Problem, in Plüsch und Pink.

Das Volk schaut irgendwie seitdem
die Grazien anders an, sehr schief bloß,
lebt, arrangiert mit dem Problem,
aufgegeilt alternativlos.

Kissentrainingslager

Wenn wir im öffentlichen Raum
plötzlich nackt uns wiederfinden,
hilft es nichts, wenn wir uns winden,
verschämt und unter Leiden

Stattdessen tun wir gut daran,
uns rasch mit Lächeln zu bekleiden.

Der kluge Mann
die kluge Frau,
übt das bereits im Traum.
Damit sie oder er es dann,
wenn es drauf an-
kommt, wirklich kann

Genau!

Amtssicherung

Er nannte Ive und Nat und Alter
sein Postenhundetrio listig,
das immer wach sein Amt beschützte.

vor einem frechen Umgestalter.
Wenn ein gezischeltes „Verpiss Dich!",
um abzuschrecken nicht mehr nützte.

ließ er die Hunde Alter, Nat, Ive los
und überließ fröhlich ihnen, den Rest
der Arbeit, den Störer zu vertreiben.

Sie finden der Vergleich wäre schief, bloß
wegen der Hunde? Ach, Gegenwart lässt
sich ohne manchmal gar nicht beschreiben.

Nicht einmal der Satz ist alternativlos.

Ausgegendert

Die Schrift, die Geschichte, die Dramaturgie
die Erzählung, die Grundidee, die Regie...
Frauen, so schön. Dazwischen begibt
ein junger Poet sich, so sehr verliebt
in jede Einzelne von ihnen,
so voller Lust, diesen Damen zu dienen,
und mit ihnen durch Bücher zu schlendern,
dass er glatt vergisst, richtig zu gendern.

So bleiben seine Liebeslieder
ungedruckt und unentdeckt
auch ihn sehen, genderkorrekt:
Niemand und Niefraud niemals wieder.

Erklärversuch

„Das Klimawandeln,
wie ihr es nennt,
wird Euch nicht töten.

Ich werde handeln",
sprach der Präsident,
empfahl zu beten

und streichelte seine
Atomraketen

Mauermärchen!

Es war einmal
eine Mauer, die fiel.
Ungezähmte Leute
der unfreien Seite
hatten entschieden,
sich die Freiheit
zu nehmen, nun frei
zu entscheiden;
so frei wie es die
der anderen Seite
ihnen seit Jahren
ausgemalt hatten.

Die Mauer lag da.
Darüber hinweg
schritten sie stolz
und sie nahmen
sich jene Freiheit,
die lange erträumte,
ohne jedes Ahnen,
oder gar Bedenken,
dass jede Freiheit
stets unteilbar war.
Diese hier jedoch
hatte seit Jahren
die andere Seite
gepachtet. Für sich.

Die Mauer lag da.
Wie ein Mahnmal
für diese Freiheit
von der sie hofften,
es gäbe genug
für beide Seiten
der Goldmedaille,
die andere ihnen
stolz in die Brust
stachen als Dank
für das Vereinen
der beiden Seiten
zwischen denen
sie nun zu wählen
hätten. Sie ahnten
nichts vom Unfrei-
fühlen im Freisein.

Die Mauer war weg.
Und in der Realität
der freien Wahlen,
zwischen Seiten, die
nicht durch Mauern
kenntlich getrennt
doch real existent
um ihre Stimmen
der Freiheit warben
entschieden sie, fortan

nicht mehr zu wählen
Das hatte sich für sie
wie sie fanden irgendwie
einfach nicht bewährt
Auch dieser Entschluss
fiel frei und in Freiheit.

In der Freizeit räumten
sie die Mauerreste fort
deren Mahnwert ihnen
längst schon viel zu frei
auf dem freien Markt
von fremden Aktionären
ausgehandelt wurde.
Und sie wünschten sich
einen neuen Heimatort
an dem sie, beschützt
von einer Mauer, noch
weiter jenen vertrauten
Traum von der Freiheit
würden träumen dürfen,
der, wie sie nun wussten
so viel von seiner Größe
verlor, sobald ihn keine
Mauer mehr beschützte

und wenn sie nicht gestorben sind

Wahlnachtag

Am Tag, nachdem wir wählten,
am Tag, nachdem die Stimmen zählten,
am Tag danach wurde es uns bewusst.

Die, die wir weder wählten noch wollten,
weil deren Worte nicht zählten noch sollten
begannen, uns mit lächelnder Lust

phrasenlang auseinandersetzten
wie sie die Wahl als Bestätigung schätzten
für sich und so sich zum Sieger erheben.

Als wir sie hörten, am Tag nachdem,
begannen wir, sprachlos, zu verstehen
was es heißt, die Stimme abgegeben

zu haben:
und nicht mehr
zu haben.

Alltag

Irgendwie
will es mir scheinen,

wird nie
so viel gelogen, wie
vor einer Wahl,
nein, nicht einmal

im Krieg oder der Liebe. Nie!

Und nach der Wahl
ist vor der Wahl.

Wie meinen?

Laubseher

Wie sehr sie sich
den Blick gesenkt
nach einer kleinen
Hoffnung sehnen

Doch dieser Herbst
mit Sturm voraus
lässt allenfalls
auf Sehnsucht hoffen.

Laubseher II

Im bunten Überfluss
greller Informationen
wünschen wir uns
das klare Schwarzweiß
vergangener Träume zurück.

Vielleicht halten darum
jetzt wieder so viele
die schwarzweiß auf Film
gebannte Zeit der Kriege
für so sehr erstrebenswert.

Alternaive

„Die Jugend wird auch immer dümmer",
hört man die Alten nölen.
Falls das stimmt, waren die Höhlen
der Steinzeit Professorenzimmer.

Dichter

Aber vielleicht sind wirklich doch
Dichter die allerletzten, die bald
trotz 5 Gigahertz und Regenwald
und sonstiger guter Gründe noch

weiterhin glauben an das Papier,
es schätzen, Wert darauf legen.
Wirklich nur des Reimes wegen?
Papier reimt sich so schön auf Hier

und Hier ist ein besonderer Ort,
der mehr ist als nur Null und eins.
Ein Bezugshaus, meins und deins,
wohnlicher als jedes Wort

das im Netz verE-book-t wird.
Ankerplatz dem Verseschiff
Heim für Reim und fern dem Schliff
den Dichtungssoftware garantiert.

Kissenweich und Eichenplanke,
Haus und Welt und ferner Stern.
Gerade jetzt wäre ich gern
am selben Ort wie mein Gedanke,

der durch Regenwälder irrt,
den Weg sucht, wie zu helfen wär,
den Plan, unfertig, ungefähr
den jemand auf Papier skizziert.

Mut

Er verlor seinen Mut,
beugte sich eben
nach vorn, um ihn
wieder aufzuheben

und streckte derweil
sein Hinteres Teil
weit und hoch in die Welt.
Es bekam ihm nicht gut.

Denn Welt, was tat die?
Trat hinein. Und wie!
Mit Schmackes. Er fiel
vornüber, ganz ohne Stil
und in DEN Staub, aus dem

die Welt sich schnell machte.
Während ich dachte:
Tja, mein Lieber,
das passiert
dem, der seinen
Mut verliert.
Sehr unangenehm.

Ach Gott

Als Gott die Welt erschuf
war er noch jung, ein Kind
das ausprobieren wollte,
was wohl passiert, wenn es
ins Nichts ringsum ein Loch
hineinschneidet, so groß
dass eine blaue Kugel
es ausfüllt, die seitdem,
sich fühlt, als wäre sie
der Grund für das Gescheh' n,
obwohl sie angesichts
der Fakten wissen sollte,
dass sie nicht mehr ist als
ein zufälliges Etwas,
ein Loch im großen Nichts.
Vielleicht ist Gott ja heute
daran nicht interessierter
als jedes andere Kind,
an Löchern, die es vormals
mit Übermut und Schere
in verbotene Dinge schnitt
und längst vergessen hätte,
wenn nicht eine Mutter
aus ungefundenen Gründen
sie stets erinnern würde?

Vielleicht auch nennen wir
deshalb diese Kugel,
geschnitten aus dem Nichts,
so sehr nachdrücklich MUTTER?

Es ist nicht beweisbar,
ob Kleingott nur dreist war
und es wirklich stimmt,

dass er schlicht ein Kind,
war, das keine Ahnung hatte,
wozu man die Schere nimmt.

Jetzt ...

Schreie, Poet, wenn sie Dich quälen,
Die Seelenschmerzen, Erziehungsnarben
die vom Anderssein erzählen,
den bunten Träumen, die Dir starben.
Verstecke Dich in finsteren Kammern.
gieße in Tinte, Poet, alles Jammern!
Nur jetzt erspare uns bekümmerte Reime:
Nebenan brennen Flüchtlingsheime!

Schreie, Poetin, wenn Mann Dein Rechte
als Tochter und Frau nicht respektiert,
statt dessen Dank verlangt für das
Schlechte,
Verbote als Großzügigkeit präsentiert,
Schreie, Poetin, schrei' s in sein Gesicht:
„Ich werde lieben! Aber dich nicht!"
Das wird wichtig sein, in zwei Wochen.
Doch jetzt, neben Dir, wird wer abgestochen!

Die Häuser brennen. Die Dichter schweigen?
Lynchmob marschiert und wird bekräftigt
von Nachbarn, die Unschuldsminen zeigen.
Und Du, Dichterling, bist mit Dir beschäftigt?
Reflektierst dich, und gibst den Parolen
nicht mal Paroli, nur leise Sohlen?
Es ist nicht die Zeit, sich selbst anzustieren,
wenn sie längst ins Reich heimmarschieren!

Schreie es raus, Poet, mit den Papieren,!
Schreie es raus Poet, mische Dich ein,
bis du gehört wirst. Dann erst interessieren
sich auch andere für Dein
ganz privates Bekümmertsein.

Nachruf auf Politiker

Man sollte nicht sagen, sie waren die frechen
Lügner, die brechen, was sie versprechen.
Ihr Job war zu reden. Sie redeten viel.
Doch hatten sie auf so viel mehr zu achten:
Die Sprache, die Körperhaltung, den Stil,
Stimmführung, welche Gesten sie machten,

auf Zwischenrufe, Erklärungsfetzen,
Applauspausen und Pointensetzen.
befreundeten Hörern die Seele streicheln,
Gegner lächerlich machen, wenn' s geht,
den Unentschiedenen leise schmeicheln,
und ständig betonen, dass man wo steht.

auf Brillen kauen, als würde man denken,
dem Publikum ein Lächeln schenken,
mit Popelfinger zum Himmel deuten,
Seiten umblättern, Textstellen suchen
und dann nicht finden vor all den Leuten
peinlich berührt sein, aber nicht fluchen,

und immer wieder: Betroffen dreinschaun
im Wissen, andere würden gern rein haun
in ihr Gesicht, dass Gesetze verteidigt,
und Zwänge verstärkt. Mit Freiheitssymbol
Sie sind auf das Wohl des Volkes vereidigt,
fühln sich als „Volk", verfolgen IHR Wohl.

Die Meisten, sind dir gar nicht sympathisch.
Doch Sympathie ist ja nie demokratisch.
Sie sind, ich unterstell das den meisten,
die all die Staatsveranwortung schultern,
davon überzeugt, große Arbeit zu leisten
und dass an Fehlern andere Schuld wärn:

Politisches Klima. Die Linken. Die Rechten.
Weltkonjunktur. Verdammtsein zu siegen.
Sie sind, könnt man sagen, genauso wie wir:
Leute, die gerne Recht haben möchten.
Nur wer hat das schon immer? Ich würde mir
das nicht unterstellen. Da müsste ich lügen.

Lügen entstehen

Wenn Wahrheit
das Richtige will,
und es Fehlern gelingt
dabei hilfreich zu sein.

Wenn eine Liebe überleben,
ein Leben den Tod überzeugen
ein Ehrlicher ehrlich bleiben
und ein Glück nicht schaden will

Wo der Wille wächst
ist die Lüge nicht weit
und sei es der Wille
niemals zu lügen.

Nur mal so gesagt

Wissen ist, was übrigbleibt,
wenn die Ahnungen verschwinden,
ein blinder Schatten, der uns treibt,
uns zu erfinden,
Eindruck zu schinden,

ein zufälliger dunkler Fleck,
der unsere Ignoranz bedeckt.

Und jedes neue Wissen raubt
einem Wunder seine Stummheit.
Wer seinem Wissen alles glaubt,
begeht bereits die nächste Dummheit.

Augtemberlied

Schon wieder braun
das Laub in den Kastanien
Schon wieder braun
der Bernstein an der See
Schon wieder braun
der Sonnenbrand aus Spanien
Schon wieder brauner
Cognac aus Marseilles

Schon wieder braun
die Pfefferkuchenprinten
Schon wieder braun
auf Herzbrüchen der Schorf
Schon wieder braun
die Schals, die nachts wir binden
Schon wieder braun
die Äcker um mein Dorf

Schon wieder braun
am Hemd die Speisereste,
Schon wieder braun
die Pfütze vor der Tür.
Schon wieder brau' n
wir für Oktoberfeste
schon wieder braunes
süffig-süßes Bier.

Schon wieder braun
der Teefilm in den Tassen
Schon wieder braun
einst weiße Turnschuhsohlen
Schon wieder braun
die Massen, die nur hassen
Schon wieder braun
die rhythmischen Parolen

Schon wieder braun
die Keule in der Hand
Schon wieder braun,
der Junge, den sie packten
Schon wieder braun,
im Schlamm ein Absperrband
Schon wieder braun
die Tasche mit den Akten

Schon wieder braun
vom Öl die Gischt der Meere
Schon wieder braun
die Menschen, die ersaufen.
Schon wieder braun
die Kolben der Gewehre
Schon wieder braun
die Pilze, die wir kaufen

Schon wieder braun
die heimatlosen Augen.
Schon wieder Augenbraun,
die sich heben.
Schon wieder braun
dein Haar. Ich möchte glauben,
dass irgendwo
noch andere Farben leben.

Verzweiflung

Wo wohnt der Trost?
Kann ich ihn buchen?
Kommt er zu mir?
Muss ich ihn suchen?

Wo wohnt der Trost?
Weiß er, was passiert?

Ach, hätte ich mich bloß
schon früher interessiert!

Übrigens

Unterstellt nicht Journalisten,
dass sie Tatsachen verdrehen.
Um das zu können, müssten
sie die zunächst mal sehen.

Um Dinge zu erkennen,
schaut man sie gründlich an.
Ich weiß, dass sie das können.
Wer tut schon, was er kann

rund um die Uhr? DIE müssten?
Auch sie sind Menschen, fehlbar
das schwingt in jedem Wort mit.

Wenn sie DAS von sich wüssten:
Das wäre schon mal zählbar
und ein echter Fortschritt.

Weil wir gerade dabei sind:
Auch Du bist sehr vermutlich
für Deine blinden Flecke blind.
Und jetzt ist wieder gut, nicht?!

Schnecken

Natürlich können Schnecken reden.
Sie sprechen mit dem Bauch.
Uns, und ich meine damit jeden,
fehlt nur Geduld, sie zu verstehen,
denn so langsam, wie sie gehen,
reden sie ja auch.

Doch was sie sagen,
ist wahrscheinlich
kaum wesentlich
und ziemlich schleimig.

Schneckentempo

Vorgestern auf grünem Rasen
brachte eine schlaue Schnecke
einen großen, schnellen Hasen
in Wettlauf elegant zur Strecke.

„Wer von uns zuerst daheim
ist, wird Sieger, Meister Lampe"
rief sie aus und flutschte rein
in ihr Schneckenhaus. Die Schlampe!

Hase stand mit Hängeohren
entrüstet und beleidigt. Doch
das Rennen hatte er verloren,
war nur blöder Zweiter noch.

Wer kriecht und schleimt kommt auch voran.
und überflügelt dabei oft
den, der aufrecht laufend hofft,
es käme auf das Tempo an.

Das war jetzt alles? Null Pointe?
Es ist, wie ich gestehen muss
kein wirklich konstruktiver Schluss,
den man so stehen lassen könnte,

weil letzten Endes allemal
schlecht für die Betriebsmoral.
Besser wäre es, man fände
irgendwie ein zweites Ende.

DAS Ende also folgte mit
der Ente, die zum Rasen schritt:
Sie kam und sah und saß und fraß
die Schnecke samt dem Haus im Gras.

Auch dieser Schluß hat Defizite
und ein Geschmäckle. Etwas eklig.
Andererseits geschieht das täglich:
Wo zwei sich streiten, snackt der Dritte.

Grabspruch

Das Leben ist
ein Geschenk,
sagtest Du

Geschenkt ist
geschenkt,
sagtest Du

Wiederholen
ist gestohlen
sagtest Du

Also gib es
wieder her!
Gott!

Du Dieb!

Gefühl

Ich träumte, dass ich traurig war
und niemand mehr mich brauchte.
Ich stand, ein Fremder an der Bar
des Lebens, in der Ecke, rauchte,

trank Trübes und schien unsichtbar,
selbst wenn ich grundlos, sonderbar
blöde in mein Bierglas lachte.
Später dann, als ich erwachte

erkannte ich: Ach, gar nicht wahr!
Die Welt war noch so wunderbar
wie gestern Abend, gar nicht schaurig.

Durch meine Straßen rannte ich
und die Welt erkannte mich.
Nur fühlte ich mich weiter traurig.

Ach, Trauer fragt nicht nach Warum,
ihm sind selbst gute Gründe Schnuppe,
Trauer will nur Schabernack
Sie spuckt Dir in die Lebenssuppe
Du rührst mechanisch darin rum
und löffelst sie doch aus. Punktum!
Hast tagelang den Nachgeschmack
gesalzener Traurigkeit im Hals,
während sie längst Koffer packt,
und dann verschwindet, bestenfalls.

Moral hat die Geschichte kaum:
Die TRAUER ist ein fieser TRAUM,
der übelnimmt, das irgendwer
sein „M" ersetzte durch „ER".

Natürlich lebst Du ...

wenn der Platz, den du suchst,
schon besetzt ist
von Dingen, die einst halfen,
Platz einzusparen;
wenn der Schatz, den Du suchst,
schon geschätzt ist,
gefunden von anderen,
die vor dir hier waren

wenn das Herz, das du suchst,
schon verschenkt ist,
vergeben und Hingabe
völlig vergebens
wenn der Vers den Du suchst
abgelenkt ist
sich selbst nur bespiegelt
fern allen Schwebens

Wenn der Mut, den du suchst,
schon verbraucht ist,
verschwendet an Proben
unnötigen Mutes
Wenn die Wut, die du suchst,
schon verraucht ist
und nur dumpfen Zorn hinterließ,
gar nichts Gutes

Wenn der Streit, den Du suchst,
irgendwann ist,
heute jedoch
gibt er noch kein Zeichen,
Wenn die Zeit, die Du suchst,
noch nicht ran ist
und viel zu lange braucht,
dich zu erreichen

Wenn der Trost, den Du suchst,
zu bemüht ist
damit, sich nur allen
andern zu spenden
Wenn der Toast, den Du suchst,
fast verglüht ist
Kohle, zerbröselnd
zwischen den Händen

Wenn das Glück, das du suchst,
sich bedeckt hält
Wenn, was stets sicher war,
gar nicht mehr stimmt
Wenn der Strick, den Du suchst,
einen Dreck hält
und wenn eine Hand
zärtlich deine Hand nimmt...

Ostsee in Nizza und Januar

So kam ich nach Nizza,
ans Mittelmeerblau:
Die Ostsee im Blut,
im Ohr noch das Brechen
der Wellen am Strand,
Meer und Himmel in Grau,
den Kopf voll mit Grog und
Heimwehversprechen,
vor Augen die Gischt,
wenn die See ging:
Und in der Nase
noch Hering.

So kam ich nach Nizza,
die Cote so asüren,
im Blut vin rosè,
im Ohr sanfte Psalmen
französischer Laute.
Olivgrüne Türen
in Aquarellhäusern.
Auf der Prom Palmen,
der Strand, endlos lang,
endlos steinig
und voll Meeresduft.
Oder? Nein, nicht.

So war ich in Nizza.
So schön. So konkret.
So Meer. So sonnig.
So Mädchen.
Mein Meer ist rauer,
wenn man dort steht.
Oliven sind keine
Matjesbrötchen.
Mein Meer hat Dünen,
durch die Du wanderst,
Hier gibt es keine.
Nizza ist anders.

So denke ich, Nizza,
an Dich. Wie gern dreh
ich heute, heim-
gekehrt an mein Meer,
den Kopf in Richtung
Süden, mit Fernweh,
wünsche mich hin
und auch wieder her
als Sicherheit immer
rauschend im Rücken
meine Ostsee
mit all ihren Tücken.

Kummer, der in Kammern kommt

Kümmere Dich nicht um Kummer!
Er kann Dir gestohlen bleiben!
Zeige ihm dein Zimmer nicht!

Kummer ist ne blöde Nummer:
will immerzu Gedichte schreiben,
und die sind so kümmerlich.

Glauben

Der Glaube
ist ein Ruhekissen,
lässt uns rasten,
hält uns täglich.
Wer nichts glaubt,
muss alles wissen.
Alles zu wissen
ist unmöglich.

Haben, Sein und Geben

Ich wär gern etwas mehr wie ich
und liebend gerne nicht so sehr
versucht, mehr so zu sein wie Du

Ich hätt gern etwas mehr Verzicht
und liebend gerne weniger
von dem: „Mirfehltnochwasdazu"

Ich wär gern etwas mehr wie Du
und liebend gern nicht so perfekt
darin, einfach Herr Ich zu sein

und hätte gern, wenn ich was tu,
ein Stückchen Du, das darin steckt,
und sich anfühlt, als wär es mein.

Reimerei ohne Sinn
ist auch eine Gabe.
Ich habe was ich bin
und gebe was ich habe.

Fangfragen

Der Fischer fängt den Fisch im Sturm.
Den Regen fängt der Rutengänger.
Der Regensturm fängt sich im Turm.
Der frühe Vogel fängt den Wurm.
Der späte Wurm lebt länger.

Der Polizist fängt jeden Dieb,
Das Mädchen fängt sich etwas ein.
Die Fangopackung ist beliebt
sie hilft der Haut, der man sie gibt.
Fengshui soll sehr hilfreich sein.

Der Anfang für den Schluss heißt Mitte
(Ein Satz, der sich hier aufdrängt!)
Wer nicht tanzen kann, fängt bitte
nicht mit Fandango an, er litte,
wenn im Sturz ihn keiner auffängt.

Den Keiler fängt der Fangschuss,
der Dichter fängt den schlechten Reim,
versucht sich dann daran, muss,
erkennen: Schade, wird nichts, Nein.
Fangfragen sind echt gemein.

Letztes Lied

Aber jetzt, wenn alle heimgehn,
sind die Stühle fortgeräumt,
Ich bleib hier noch kurz allein stehn,
ausgepumpt. Ausgeträumt.

Alle Verse sind versprochen,
jeder Reim und jedes Wort,
die ich sammelte seit Wochen,
sind verschenkt und plötzlich fort.

Wenn am Tresen Biere winken,
treibt der Durst mich dort bloß hin.
Fragt mich nicht, wenn ich beim Trinken
dann auf einmal wortlos bin.

Was ich hatte, ist vergeben,
nur die Stühle sind noch wahr.
Und ich hoffte doch bis eben,
dass kein Wort vergebens war.

Aber jetzt, wenn alle heim gehn,
sind die Stühle fortgeräumt.
Ich bleib hier noch kurz allein stehn
ausgepumpt, ausgeträumt.

Nichts zu tun mehr. Nur zu hoffen,
dass ein paar Ideen bestehen,
in den Köpfen, wenn besoffen
wir am Schluss nach Hause gehen.

Danke an ein L das fehlt

Es läuft so blöd wie immer?
Freundchen, nicht so schnell.
Du hast doch keinen Schimmer!
Warte auf das L
das macht den Schimmer schlimmer!

Echt jetzt?

Die Leute,
die Dir schon lange
im Weg stehen,
was Dir nicht passt:
Das ist vermutlich
die Schlange,
an die du dich
angestellt hast.

Reise-Apropos

Haben die Länder, die wir bereisten
und deren Billigkeit wir uns leisten,
alle, oder zumindest die meisten,
rechtens uns ihren ausgepreisten

Nutzen gebracht? War, was wir begehrten
mehr wert, als die allmählich entleerten
Landschaften, die wir höher bewerten,
seit wir, vom Reisen müd wiederkehrten?

Wir, die wir damals die schwerbewachten
Mauerwände zum Einstürzen brachten
Überallhinreisen wollten und dachten,
dass sie uns unabhängiger machten:

Kein Betteln um Ämteraudienz mehr
Kein Leben als Mauerschattengespenster,
Kein Gieren in buntere Kaufhausfenster,
Kein Stigma beschränkter Ausgegrenzter.

So sahen wir in den Reisezeiten
die Freiheit anderer Mauerseiten
das fremde Lieben, das fremde Streiten.
Und immer dabei, stets uns begleiten,

beim Warten auf die Ausweiskontrollen,
bei Kreuzfahrten, Zigarettenverzollen,
an Traumstränden, bei Hochgebirgstrollen:
Der eine Ort, an dem wir leben wollen?

Der Ort, an dem wir uns so viel schlauer
fühlen und den wir so viel genauer
kannten und kennen: Das ist ein grauer
Platz irgendwo weit hinter der Mauer.

Nachbarn

Als zwischen ihnen
noch Mauern standen,
um sie voneinander
zu trennen, einte
sie ein Ziel: Na klar-
Weg mit jeder Mauerwand!

Als nach einiger Zeit
die Mauern verschwanden,
hätten sie wirklich
froh leben können.
Doch mit der Mauer
war alles verschwunden,
was sie einmal verband.

Tiefe Oberflächlichkeiten

Kunstgalerie. Wovon hier reden?
Eingezwängt von Bildern und Wänden,
Skulpturen, Marmor, Gegenständen,
die so voll Kunst sind, dass sie jeden
noch so kunstvoll ausgesuchten Vers,
zum Versuch, der nichts taugt, stempeln,
zur dummen Reimerei. Beinah als wär`s
unmöglich, Wortschönheit in Tempeln
von Farbe und Figur zu zeigen,
weil sie hier für sich selber... schweigen.
Das zu bereimen, scheint tatsächlich
flach, oberflach zu sein. Ach: oberflächlich.

Ich soll mich lustvoll in die Kunst vertiefen,
die Kunst bedichten, werten, Werte schätzen
und Vers um Vers aus Sätzen setzen,
die durch tiefste Schmerzen liefen,
die vor tiefen Tiefen triefen,
hauen, beißen, stechen, schmatzen...
Nur leis an Oberflächen kratzen,
darf Dichter nicht. Wird sein Gedicht
nicht zum „Geh dichter", zum „Geh nah",
zum „Sage mir, was ich nicht sah",
sieht er sich seinerseits verdächtigt,
er wäre reichlich oberflächlich.
Der Vorwurf wär sowohl berechtigt

als auch mit Recht zu bestreiten,
beim Blick aus anderen Perspektiven.
Was trennt denn Oberflächlichkeiten
von den so hochgeschätzten Tiefen?

Nur Zeit. Zeit macht den Unterschied,
zwischen Schichten, die nach Oben blicken
und den Schichten, die sie ins Tiefe drücken
bevor es sie von selbst noch tiefer zieht?

Gibt Tiefe deshalb sich, aus Trotz, so gern
tiefSINNIG und nennt Oberflächen „dumm"?
Weil sie einst oben war, nur unmodern
geworden ist und nicht versteht, warum?

Da schweigt die Tiefe. Blind für ferne Sterne
jammert sie im Dunkel und verübelt
der Oberfläche ihren Blick auf die Laterne
und grübelt übel. Grübelt. Grübelt. Grübelt

Tiefe ist tiefernst. Die Oberfläche fröhlich.
Die Meerestiefe düster. Oberfläche hell.
Außer wenn die Erdölfirma Shell
Bohrschiffe versenkt. Das macht sie ölig.
trübe, undurchdringbar, und sie miefen
wie die allertiefsten Tiefseetiefen,
wo unfassbar viele Fässer in den Grotten
verklappt vergessen werden und verrotten

neben Ozeanschutzabsichtsprotokollen
und versunkenen Bombentest-Atollen
während wir auf Luxusdampfern schippern,
an der Oberfläche sunsetcruisen,
Cocktails bechern, Sonnenbrand am Busen,
und beten, von den Flüchtlingsclippern
möge keins die Kreuzfahrtwege kreuzen
und womöglich noch um Hilfe winken.
„Ach, es ist furchtbar!", einmal schnäuzen,
„wenn diese armen Armen hier ertrinken.

Das Boot ist voll, was ich nicht toll find,"
sagt der Kapitän, Kabinen zählend,
weil seine weißen Passagiere voll sind.
Weiß ist die Oberfläche, schwarz das Elend,
das wir weisen Weißen sehr bedauern,
das wir nicht mit anzusehen versprechen,
Und wir mauern um uns Sichtschutz Mauern
mit augenfreundlicheren Oberflächen

propagandabunt besprüht
mit Farbe, die um nichts sich als
staatsbezahlten Frohsinn müht
zum Jubiläum unseres Mauerfalls

Nun schauen Sie nicht so erschüttert.
Oder macht sie das verbittert?
So ist halt unser Lebenslauf.
Wir reißen Mauern ein und bauen auf

Dass wir guten Bürger mit verdächtig breitem
Grinsen neue Oberflächlichkeiten
begrüßen, ist Teil jener Traditionen,
die ganz tief in unserem Innern wohnen.

Wir sind so frei. Freimaurer, die mit schiefen
Maßlehren Mauern bauen, die in Tiefen
ebenso wie in die Höhe reichen.
Die Steine immerhin sind stets die gleichen.

Natürlich kann man Mauern auch benützen,
Bilder anzuhängen, Statuen zu stützen.
Was wären denn Gemälde und Skulptur
ohne Maueroberflächenbauerein?
Dies wie das braucht Farbe, Stein,
und tiefe, tragende Struktur,
die an der Oberfläche endet
und sich an den Betrachter wendet.

Wenn ich davon, dass sie einander mächtig
ähnlich sind in tiefster Tiefe, spreche,
wär das korrekt? Nein: Es wär oberflächlich.
und ignorant in puncto Oberfläche!
Sie ist die Schicht mit der der Künstler endet,
die letzte Schicht, die seine Hand berührt
Die erste, die sich an Betrachter wendet
die erste Schicht, die jene Ahnung schürt,
da sei noch so viel mehr zu finden
und entdeckbar, das, was nicht sofort sich

zeigt und dass die Oberflächen gründen
auf Vor-Schliffen und Pinselstrich,
die vordem und vielleicht nur kurze Zeit
anderen Flächen Oberflächen waren,
und die sich heute anders offenbaren,
der Fantasie, dem Geist. Macht Euch bereit
durch vor und nachher parallel zu wandern,
im gleichzeitigen Nebenmiteinander
von dunkelhellem Untenoben
von Morgengesternheutigkeiten
und tränenfeuchtem Lachenloben.
Wo überfließende Vergänglichkeiten
ihr Ewigsein manifestieren,
wo fremdvertraute Tiefen uns verführen,
an Oberflächen gefallener Mauern
Gefallen zu finden, um zu überdauern.
Alles, das alles, soviel versprech ich,
ist im besten, tiefsten Sinne oberflächlich.

Inhaltsverzeichnis

UND HIER BEGINNT DAS NOTIZBUCH

Lightning Source UK Ltd.
Milton Keynes UK
UKHW010738261021
392864UK00002B/419